Tu mundo

Zapatos

Clasificar

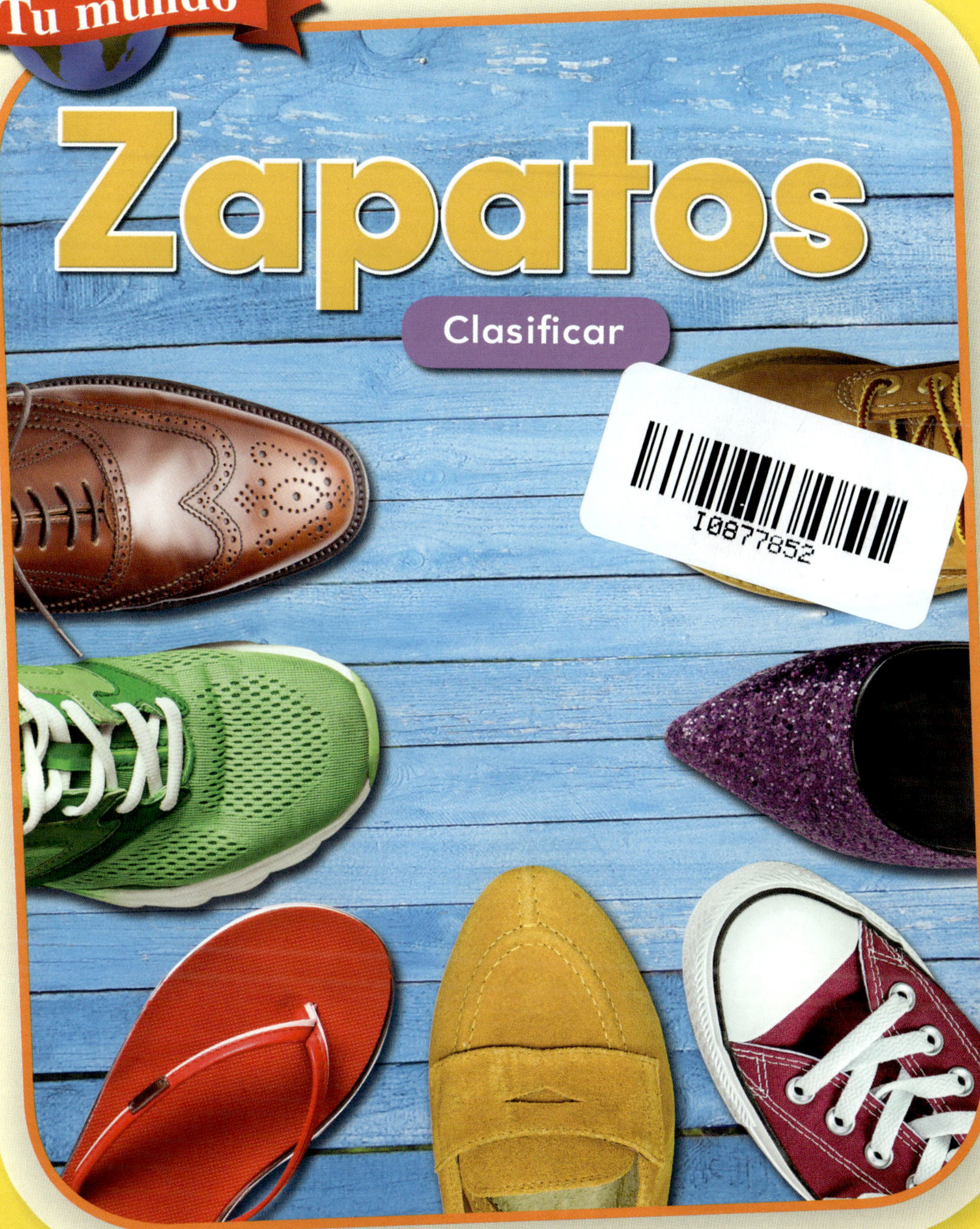

Dona Herweck Rice

Esta es la tienda de mi papá.

Me gusta ayudarlo.

Primero, busco
las botas.

Las clasifico
por tipo.

Luego, busco
las sandalias.

Las clasifico por cantidad de tiras.

Luego, busco
los tenis.

Los clasifico por tamaño.

Luego, busco los mocasines.

Los clasifico por color.

Por último, busco los tacones.

Los clasifico por la altura del tacón.

¡Ay, no!

¡Se me olvidó clasificar los zapatos por pares!

Resolución de problemas

Mi papá también vende calcetines en su tienda. Clasifica los calcetines en dos grupos.

1. Haz un dibujo para mostrar tus grupos.
2. ¿Cuántos calcetines hay en cada grupo?
3. Compara tus grupos usando *la mayor cantidad*, *la menor cantidad*, o *la misma cantidad*.
4. Haz un dibujo para mostrar otra manera de clasificar los calcetines.

Soluciones

1. Las imágenes deben mostrar dos grupos de calcetines clasificados por categorías.
2. Las respuestas variarán.
3. Las respuestas variarán.
4. Las imágenes variarán, pero pueden mostrar clasificación por tamaño, color o diseño.

Asesoras

Nicole Belasco, M.Ed.
Maestra de jardín de niños, Distrito Escolar Colonial

Colleen Pollitt, M.A.Ed.
Maestra de apoyo de matemáticas, Escuelas Públicas del Condado de Howard

Créditos de publicación

Rachelle Cracchiolo, M.S.Ed., *Editora comercial*
Conni Medina, M.A.Ed., *Redactora jefa*
Dona Herweck Rice, *Realizadora de la serie*
Emily R. Smith, M.A.Ed., *Realizadora de la serie*
Diana Kenney, M.A.Ed., NBCT, *Directora de contenido*
June Kikuchi, *Directora de contenido*
Véronique Bos, *Directora creativa*
Robin Erickson, *Directora de arte*
Caroline Gasca, M.S.Ed., *Editora superior*
Stacy Monsman, M.A., *Editora*
Karen Malaska, M.Ed., *Editora*
Michelle Jovin, M.A., *Editora asociada*
Sam Morales, M.A., *Editor asociado*
Fabiola Sepúlveda, *Diseñadora gráfica*
Jill Malcolm, *Diseñadora gráfica básica*

Créditos de imágenes: págs.18–19 EQRoy/Shutterstock; todas las demás imágenes provienen de iStock y/o Shutterstock.

Library of Congress Cataloging-in-Publication Data

Names: Rice, Dona, author.
Title: Zapatos / Dona Herweck Rice.
Other titles: Shoes. Spanish
Description: Huntington Beach : Teacher Created Materials, 2019. | Series: Tu mundo | Series: Mathematics readers |
Identifiers: LCCN 2018052841 (print) | LCCN 2018053358 (ebook) | ISBN 9781425822859 (eBook) | ISBN 9781425828233 | ISBN 9781425828233¬q(pbk.)
Subjects: LCSH: Shoes--Juvenile literature.
Classification: LCC GT2130 (ebook) | LCC GT2130 .R5318 2019 (print) | DDC 391.4/13--dc23
LC record available at https://lccn.loc.gov/2018052841

Teacher Created Materials
5301 Oceanus Drive
Huntington Beach, CA 92649-1030
www.tcmpub.com

ISBN 978-1-4258-2823-3

Printed in China
Nordica.082019.CA21901320